ATTENTION !

Afin de respecter l'œuvre et son auteur, PARALLEL est présenté
dans le sens de lecture original. Vous êtes ici à la fin du volume.
Commencez par la dernière page et lisez les bulles de droite à gauche.

Scénario et dessin
TOSHIHIKO KOBAYASHI

Adaptation graphique
MONICA ROSSI

Traduction
ALICE LACROIX

Lettrage
LARA IACUCCI

Directeur de l'édition française
ALAIN GUERRINI
Comité de direction
A. GUERRINI, A. DENECHERE, P-J REBOTON
Directeur délégué
PIERRE-JEAN REBOTON
Directeur éditorial européen
MARCO M. LUPOI
Publishing manager
SÉBASTIEN DALLAIN
Chef de produit marketing
MARJORIE TODRANI
Contrôleur de gestion
JOHN SCALA
Relations presse/Responsable commercial
JÉRÔME ARAGNOU
Coordinatrice éditoriale
ANNA RODELLA

Supervision
MARIE-PAULE GARCIA
Rédacteur
MATTHIAS DAGORNE
Directeur artistique
ROBERTO RUBBI
Concepteur graphique
DRZ
Maquettiste
SABRINA PIU
Avec la collaboration de
**LAURENT FRÉMONT, JOSÉPHINE BAGLIO,
ASTRID LEONTI** et de toute l'équipe de Panini Comics

PARALLEL 1
ISBN : 2-84538-366-5
Un ouvrage GÉNÉRATION COMICS/PANINI FRANCE S.A.

Commercialisation et relations média :
PANINI FRANCE S.A. Z.I. SECTEUR D - B.P. 62
06702 SAINT-LAURENT-DU-VAR CEDEX
Tél. 04 92 12 57 57 / Fax 04 92 12 57 58
PARALLEL © 2001 Toshihiko Kobayashi. All rights reserved.
First published in Japan in 2001 by Kodansha Ltd., Tokyo.
French publication rights arranged with Kodansha Ltd., Tokyo,
through the Kashima Agency. © 2004 Panini France S.A. Droits
de reproduction et de traduction réservés pour tout pays.
Toute reproduction, même partielle, de cet ouvrage est in-
terdite. Une copie ou reproduction par quelque procédé que
ce soit : photographie, microfilm, bande magnétique, disque,
Internet ou autre constitue une contrefaçon passible des pei-
nes prévues par la loi du 11 mars 1957 sur la protection du
droit d'auteur. GÉNÉRATION COMICS est une marque déposée
par PANINI FRANCE S.A.
Impression : Tipografia Gravinese s.n.c., Torino.

Intro

Comment réagiriez-vous si vous appreniez que votre père a épousé secrètement la mère d'une camarade de classe avec laquelle vous êtes en guerre depuis des années, et que vous allez devoir cohabiter seul avec elle une année entière ?

Et si cette même fille était finalement bien loin de ne vous inspirer qu'un profond mépris ?

La vie de Nekota, notre héros, est décidément bien compliquée, et ça ne fait que commencer ! Que c'est dur d'avoir des parents indignes !

Sommaire

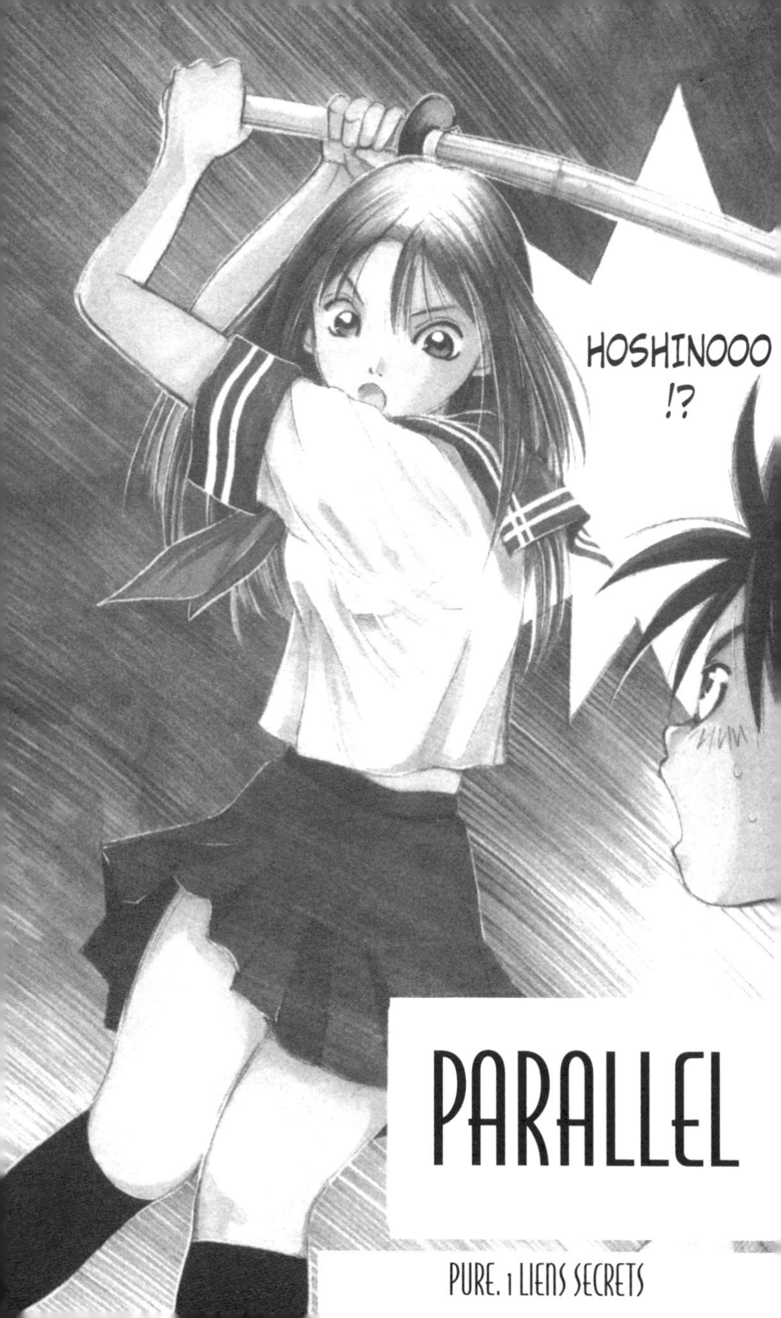

PARALLEL

PURE. 1 LIENS SECRETS

... DE SAKURA HOSHINO !

SALETÉ DE NISHI-KAWA !!!

OHHH NON ! MOI QUI AVAIS ENFIN DÉCIDÉ DE ME DÉCLARER AUJOURD'HUI !

ARGH, NISHI-KAWA !!

... J'Y VAIIIIS !

SI JE LE LUI AVOUE PAS MAINTENANT, C'EST SÛR, JE LE FERAI JAMAIS...

... DONC...

BON !

... QU'EST-CE QU'ELLE VA DIRE ? ELLE NE PEUT PAS ME BLAIRER...

... ELLE VA ME MÉPRISER ENCORE PLUS...

MAINTE NANT C JAMAI ...

... QU'EST-CE QU'ELLE VA RÉPONDRE ?

HOSHINO... OUF, ELLE ME CROIT ! OU...

NON...

C'EST IMPOSSIBLE !

QU'EST-CE QUE ÇA VEUT DIRE ?

HEEEIN !?

... IMPOS-SIBLE ?

POUR-QUOI ...

HEIN

SLAPP

TAK TAK

TAK

NON, NON, RIEN...

T'AS VRAIMENT PAS L'AIR DANS TON ASSIETTE, AUJOUR-D'HUI...

QU'EST-CE QUI SE PASSE, NEKO ?

NH ?

...

PARALLEL

FLAP FLAPP

PURE.2
LES DÉSORDRES DU CŒUR

C'EST UNE IDÉE INTÉRESSANTE.

HMMM... DES TEE-SHIRTS ?

QU'EST-CE QU'ELLE A À ME REGARDER COMME ÇA ?

QU'EST-CE QU... HOSHINO ?

HN ? EUH...

QUOI QU'ELLES PROPOSENT, C'EST NON ! HEIN ? NEKOOOO !

ELLES COMMENCENT À ME GONFLER, CES MÉGÈRES !

!?

...

AAAAU

AAAAH

AH...

DE TOUTE FAÇON, ON N'ATTENDAIT RIEN DE VOUS !

PARFAIIIIT !!

OUAAAIIIIS !!! VOUS POUVEZ VOUS BROSSER, BANDE DE THONS !!! ON N'ACCEPTERA JAMAIS !

HAAAA... C'EST PAS POSSIBLE, CETTE CLASSE !

...

AH... AU FAIT !

TIENS ! TU NE BOIS PAS ?

MOI QUI T'AVAIS PRÉPARÉ DU THÉ...

NISHIKAWA ET LES AUTRES SERONT LÀ. TU SAIS CE QUE ÇA VEUT DIRE ?

TU TE TIENS À CARREAU AU PREMIER ÉTAGE !

DEMAIN, C'EST DIMANCHE. ON VA SE RÉUNIR ICI POUR DISCUTER DU DESIGN DES TEE-SHIRTS.

...

KITAMURA...

ELLE NE PARLE PLUS QUE DE LUI !

... QU'EST-CE QUE ÇA VEUT DIRE ?

...

HOOO... C'EST TROP LA DÈCHE !

MOI, JALOUX DE KITAMURA ?

UMF...

DIMANCHE...

OUI, MAIS, C'EST PAS FACILE, TU SAIS !

ELLE CRITIQUE TOUT CE QUE JE FAIS, C'EST L'ENFER !

...

ALORS COMME ÇA, VOUS HABITEZ ENSEMBLE ?

C'EST VRAI QU'ELLE CUISINE POUR MOI !

AH OUI, LES REPAS...

LES REPAS, PAR EXEMPLE...

DOIT BIEN Y AVOIR DES BONS CÔTÉS, NON ?

ME FAIS PAS CROIRE QUE ÇA T'A PAS DONNÉ DES IDÉES ?

...

DU JOUR AU LENDEMAIN, TU HABITES AVEC UNE TOTALE INCONNUE ...

DIS DONC, NEKO ...

MAIS ÇA, C'EST PARCE QUE MON VIEUX LE LUI A DEMANDÉ.

ÇA COMPTE PAS !

CRUSH

JE SUIS AMOUREUX DE HOSHINO ...

NEKO...

...

TU ES LE SEUL AUQUEL JE PEUX DEMANDER CE SERVICE.

JE T'EN PRIE... AIDE-MOI !

ET PUIS ...

IMPOSSIBLE SANS AVOIR L'AIR LOUCHE.

COMMENT J'AURAIS PU REFUSER ?

HAAA ...

AVEC MOI, C'EST PAS DU TOUT PAREIL.

ELLE A L'AIR TELLEMENT HEUREUSE !

QU'EST-CE QUE J'IMAGINAIS POUVOIR FAIRE ?

HAAA...

QU'EST-CE QUI M'A PRIS DE LES SUIVRE ?

HOO...

JE SUIS QU'UN BOULET, RENTRONS...

DIS, TU CONNAIS L'HISTOIRE DU PARAPLUIE DE NEKOTA ?

NONN...

C'ÉTAIT À L'ÉCOLE PRIMAIRE.

TU TROUVES PAS ÇA HILARANT ? IL PARAÎT QUE MÊME LÀ, IL A FAIT : "BEN, ÇA ALORS..." !

HA HA HA HA !

IL AVAIT PAS UNE SEULE ÉGRATIGNURE !

IL PENSAIT QUE COMME ÇA, IL ATTERRIRAIT EN DOUCEUR !

ÉVIDEMMENT, IL A FAIT BOOOOUUUM SUR LES FESSES !

... CET IMBÉCILE A SAUTÉ DU PREMIER ÉTAGE DE L'ÉCOLE, AVEC SON PARAPLUIE OUVERT...

DONC...

HI HI HI !

HA ?

MAIS...

TU L'AIMES ?

IL TE PLAÎT, NEKO ?

KI... KITAMURA ?

PARALLEL

VOILÀ LES VACANCES D'ÉTÉ ...

POUR SE PERFECTIONNER, LE CLUB DE BASE-BALL S'ENTRAÎNE SUR UNE PETITE ÎLE, DANS LA RÉSIDENCE D'ÉTÉ DU PÈRE DE KITAMURA.

POUUUH

ÇA FAISAIT LONGTEMPS QUE JE NE M'ÉTAIS PAS ÉLOIGNÉ DE HOSHINO, JE VAIS POUVOIR ÉTENDRE MES AILES.

MALHEUREU-SEMENT...

FINALEMENT, C'EST COMME SI JE L'AVAIS TRAHI !

... DEPUIS LA FOIS DERNIÈRE, JE SUIS PLUS TROP À L'AISE AVEC KITAMURA.

PARALLEL

PURE.4 TRIANGLE AMOUREUX SUR LA PLAGE

LA SUITE DANS LE VOLUME DEUX...

LE TITRE PARALLEL